Vaurien et Gredin

Pour Mrs Marvellous

Texte traduit de l'anglais par Élisabeth Duval

Titre de l'ouvrage original : ROTTEN AND RASCAL
Éditeur original : Hutchinson, a Division of Random House Children's Books, Londres
Copyright © Paul Geraghty, 2006
Tous droits réservés
Pour la traduction française : © 2006 Kaléidoscope,
11, rue de Sèvres, 75006 Paris, France
Loi n° 49.956 du 16 juillet 1949 sur les publications
destinées à la jeunesse : mars 2006
Dépôt légal : mars 2006
Imprimé à Singapour

Diffusion l'école des loisirs

www.editions-kaleidoscope.com

Paul Geraghty

Vaurien et Gredin

les affreux jumeaux ptérosauriens

kaléidoscope

Il y a 65 millions d'années,
le monde était un endroit assourdissant.
Il résonnait du fracas des orages,
des volcans en éruption,
des éboulements de rochers,
et des tremblements de terre.

Et par-dessus tout du bruit que faisaient
Vaurien et **Gredin,**
d'affreux frères jumeaux ptérosauriens.
Le jour, ils se disputaient en criant,
et la nuit en hurlant.

Le matin, ils *rugissaient*,
à midi, ils meuglaient et
le soir, ils braillaient.

Ils ne s'arrêtaient tout simplement jamais.

Un jour, Vaurien vit un poisson.

"Il est pour **moi** !" hurla Gredin, et tous deux descendirent en piqué.

"C'est moi qui l'ai vu d'abord !" cria Vaurien.

"C'est moi qui ai hurlé le plus fort !" brailla Gredin.

"Il est à moi !" rugit Vaurien.

"Bien sûr que non ! hurla Gredin. Il est à moi !"

"À moi !"

"À moi !"

Le charivari dura…

... jusqu'à l'arrivée d'Azimut, qui déclara :
"Ça exige un super bon bec, pour sûr ! Disons que
le poisson ira à celui qui a le meilleur bec."

… jusqu'à la venue de Violette, qui dit :
"Ho, les loupiots, *piano* ! Le poisson sera
pour celui qui a la plus jolie crête."

"La mienne est plus **brillante !**" cria Vaurien.
"La mienne est plus **grande !**" piailla Gredin.

"C'est la **mienne !**"

"C'est la **mienne !**"

L'épouvantable,
l'infernal charivari dura...

... jusqu'à ce qu' Échalas émerge de l'eau et s'exclame :

"C'est bien simple ! Le meilleur nageur mange le poisson."

"Je nage plus vite !" aboya Vaurien.

"Je plonge plus profond !" beugla Gredin.

"Bien sûr que non ! hurla Vaurien. Le poisson est à moi !"

"À moi !"

"À moi !"

L'épouvantable, l'infernal charivari se doubla d'un tohu-bohu...

... jusqu'à ce que Cérébral surgisse avec une solution sensée :
"Le poisson ira au moins chamailleur."

"Je suis moins chamailleur que toi", dit Vaurien.

"Je suis le moins chamailleur de **nous deux**", affirma Gredin.

"Bien sûr que non ! hurla Vaurien. Le poisson est à **moi** !"

"À moi !"   "À moi !"

Et l'épouvantable, l'infernal charivari se doubla
d'un énorme tohu-bohu...

... jusqu'à ce que Râblé rapplique et rugisse :
"Où est le problème ? Le poisson ira
au ptérosaurien le plus costaud."

"Je suis le plus **costaud** !"
hurla Vaurien.
"Impossible, rugit Gredin, puisque
c'est **moi** !"

"Ah ouais ?
Approche
un peu !"

Ils se donnèrent tant de coups de pied et de coups de poing
qu'ils tombèrent tous les deux par terre, trop épuisés pour parler.

Et il y eut un merveilleux moment de silence.

"J'ai gagné", haleta finalement Vaurien.
"J'ai gagné", souffla péniblement Gredin.
"Bien sûr que non. C'est moi !"
"Bien sûr que non. C'est moi !"
L'énorme tohu-bohu reprit, doublé de l'épouvantable,
l'infernal, l'insoutenable charivari…

… jusqu'à ce que Rex rauque : "Holà ! Suffit
la bagarre et les cris ! Lequel de vous deux est le plus dodu,
le plus savoureux, le plus croquant, le plus goûteux ?"

"Je suis le plus dodu !" cria Vaurien.
"Je suis le plus savoureux !" protesta Gredin.
"Je suis le plus croquant !" grogna Vaurien.
"Je suis le plus goûteux !" hurla Gredin…

... alors qu'ils remarquèrent la lueur dans les yeux de Rex.

Pétrifiés de peur, les ptérosauriens perdirent la parole,
et quand le tyrannosaure approcha,
ils avaient enfin cessé de se chamailler.

Mais c'était trop tard...

Et si vous voulez tout savoir,
ils avaient exactement le même goût.

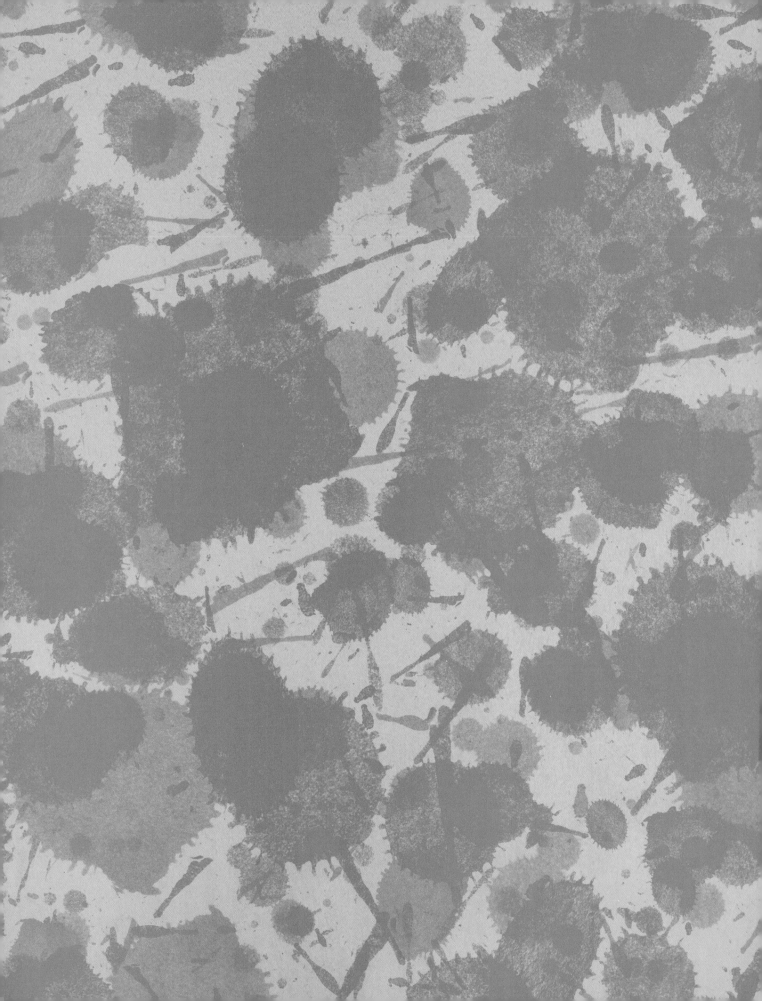